## PRÉFACE

Lorsque le commissaire Ryan Rice a communiqué pour la première fois avec nous en automne 2006, *Hochelaga revisité* en était encore à ses premiers balbutiements. Bien que le concept fut déjà fort intéressant, la majorité des œuvres n'étaient pas encore créées. Ce fut donc très stimulant de voir ce projet se concrétiser au fil des nombreux courriels et conversations, de la rédaction des demandes de subventions ainsi que de la résolution des détails de logistique. Réunissant les œuvres des artistes autochtones contemporains Jason Baerg, Lori Blondeau, Martin Loft, Cathy Mattes, Nadia Myre et Ariel Lightningchild Smith, *Hochelaga revisité* a suscité un intérêt particulièrement élevé de la part du public et des médias.

Je remercie Ryan Rice pour son énorme implication dans l'ensemble de ce projet. J'aimerais aussi remercier le Comité des arts visuels du MAI (Betty Jansen, Gilles Morissette, Gaëtane Verna) ainsi que tous les membres de l'équipe qui ont travaillé sans relâche sur l'exposition. Je souhaite également féliciter Claudine Hubert pour sa traduction sensible du texte du commissaire et Pata Macedo pour l'élégance de sa conception graphique. En terminant, j'aimerais remercier le Conseil des arts du Canada et le Conseil des arts et des lettres du Québec pour leur généreux appui financier accordé à cette exposition et cette publication.

—

ZOË CHAN
Responsable en arts visuels
MAI (Montréal, arts interculturels)

## FOREWORD

When curator Ryan Rice first contacted us regarding *Hochelaga Revisited* in the fall of 2006, it was still in its nascent stages. As strong as his curatorial objectives were conceptually, the majority of the artworks had yet to be created. It has been therefore nothing less than exciting to see this compelling project come to fruition, and to trace its trajectory through numerous emails and conversations, the grant writing process, and the resolution of various logistical details. Featuring First Nations contemporary artists Jason Baerg, Lori Blondeau, Martin Loft, Cathy Mattes, Nadia Myre, and Ariel Lightningchild Smith, *Hochelaga Revisited* proved to be one of the MAI's most successful exhibitions in terms of attendance and media coverage.

I would like to extend my appreciation to Ryan Rice for his enormous dedication to this project. I wish to thank the MAI's Visual Arts Committee (Betty Jansen, Gilles Morissette, Gaëtane Verna) and all the staff who worked tirelessly on the exhibition. I must commend Claudine Hubert for her sensitive translation of the curatorial essay and Pata Macedo for her elegant catalogue design. Finally, I would like to thank the Canada Council for the Arts and the Conseil des arts et des letters du Québec for their generous financial support of this exhibition and publication.

—

3

—

ZOË CHAN
Visual Arts Programming
MAI (Montréal, arts interculturels)

# Longue vie à Tiohtiake, ou Hochelaga revisité[1]

—

RYAN RICE

commissaire

*De fait, Montréal est un lieu de conquêtes, de négociations, de manœuvres, de manipulation et de discours.*[2]

Les protocoles autochtones[3] sont des mécanismes sociaux, culturels ou politiques pratiqués de façon formelle ou informelle afin d'honorer les lieux de vie et de rassemblement de leurs peuples. Forme cérémoniale de reconnaissance de la présence et de l'héritage des peuples autochtones honorant lieux, histoire orale et savoirs traditionnels, les protocoles servent à décoloniser les relations entre peuples indigènes et colonisateurs. Ainsi peuvent-ils tenir lieu de cadre de travail critique pour l'étude des injustices coloniales commises envers les Premières nations. La ville de Montréal, lieu de convergence dont les paysages social, économique, culturel et politique ont une pertinence à l'échelle mondiale, est un carrefour admiré pour son croisement de charme et de raffinement de style vieille Europe, la présence accrue des nouvelles technologies et ses nombreuses sociétés distinctes et multiculturelles. Et pourtant, les stratégies d'effacement et les récits imposés par les premiers colonisateurs ont délibérément exclu, ignoré et éliminé les premiers occupants de cette terre, privant Montréal du passé, du présent et de l'avenir de son identité « originelle ». L'exposition *Hochelaga revisité* réactualise la présence, l'expérience et la culture autochtones de la ville – trop souvent absentes de l'histoire officielle de cet important lieu de rassemblement –, légitimant au passage la souveraineté et l'esprit des premiers gardiens de Montréal.

L'île de Montréal, au moment du premier passage des colonisateurs français, fut baptisée *Hochelaga*, vocable erronément traduit par « gros rapides » à cause d'une erreur de communication lors de la toute première rencontre entre l'explorateur français Jacques Cartier et les insulaires, en 1535[4]. En effet, Cartier déforma le terme mohawk *osheaga*, qui peut se traduire par « les gens de la poignée de main », utilisé par les premiers occupants pour décrire la façon dont l'explorateur et son équipage les accueillaient. Cartier décrit Hochelaga comme un centre fourmillant d'activité dont les villages sont entourés de palissades et de champs de maïs et où les gens occupent des maisons longues. Cependant, l'histoire coloniale veut que ces villages et leurs habitants aient « disparu » lorsque Champlain s'y arrêta quelque cent ans après le passage de Cartier.

L'exposition *Hochelaga revisité* présente les œuvres de six artistes « expatriés » : Martin Loft, Ariel Lightningchild Smith, Jason Baerg, Nadia Myre, Cathy Mattes et Lori Blondeau. Chacun

1   *Tiohtiake* (joh-jah-guay) est le vocable mohawk qualifiant la région du grand Montréal; il peut se traduire par « le lieu où les nations et les rivières s'unissent et se séparent ».

2   Robert Houle, « Avant-propos », *in* Curtis J. Collins, *Hochelaga* (Montréal : Galerie articule, 1992).

3   À la fois formels et volontaires, les protocoles autochtones signifient une reconnaissance des savoirs traditionnels et des topographies originelles. Autrefois, ils servaient de geste de bienvenue et signalaient l'honneur et le respect de la terre et de ses premiers habitants. L'Australie a instauré certains protocoles autochtones dans le cadre des débats publics entourant les arts et la culture. Pour mieux connaître les principes de base mis en place en Australie, consultez le site Web http://www.propelarts.org.au/resources/indigenous.php (en anglais).

4   Des anthropologues et des archéologues ont spéculé que les premiers habitants de la région auraient été des Iroquois du Saint-Laurent, différents des Premières nations iroquoïenne et algonquienne résidant dans la région immédiate. Voir Roland Tremblay *et coll.*, *Les Iroquoiens du Saint-Laurent : Peuple du maïs*, catalogue d'exposition (Montréal : Pointe-à-Callière, Musée d'archéologie et d'histoire de Montréal et Éditions de l'Homme, 2006). Il s'agit cependant d'un débat controversé, car plusieurs histoires orales autochtones revendiquent l'appartenance à ce peuple.

à leur façon, ils explorent l'impact personnel et collectif des premiers contacts, de la colonisation et de la mondialisation dans Hochelaga. Qu'ils utilisent le texte, la peinture, la vidéo, la photo ou la performance, leur point de départ est Montréal comme territoire urbain autochtone. En réfutant le récit de la disparition, ils illustrent des expériences personnelles qui mettent au grand jour la présence autochtone actuelle dans la ville, bien qu'elle soit fréquemment ignorée ou marginalisée.

Le photographe Martin Loft manifeste la présence autochtone avec une série de photos en noir et blanc intitulée *Montreal Urban Native Portrait Project* (1986). Dans un atelier de fortune installé au Centre d'amitié autochtone de Montréal, les « clients » – les hommes et les femmes qui ont développé, nourri et fait appel à la communauté des Premières nations de Montréal – posent avec fierté devant l'objectif. À mi-chemin entre le portrait et le documentaire, le projet saisit l'individualité et la nationalité de chacun des sujets à travers son expérience migratoire urbaine. Une fois contemplées, exposées, manipulées et feuilletées, ces images ont éventuellement été rangées et oubliées. Loft les décrit comme des témoins du temps, « une espèce de carte routière de l'âme humaine qui parle de notre existence sur l'île de la Tortue, ou l'Amérique du Nord »[5]. Authentiques et franches, ces photos servent d'archives qui témoignent de l'esprit de la communauté autochtone urbaine et nous rappellent les combats, les désirs et les différents chemins empruntés par plusieurs de ses membres, y compris Loft et les autres artistes de l'exposition. Les trajectoires de bon nombre de ces individus ont été guidées par un mouvement initié localement par le Centre d'amitié autochtone de Montréal. Établi en 1974, le centre est un lieu d'accueil et de soutien pour plusieurs Métis, Inuit, et autres membres des Premières nations pendant la période de transition entre les réserves ou les communautés rurales ou nordiques et la ville.

En 1992, l'artiste saulteaux Robert Houle lançait son exposition *Hochelaga* à la galerie articule, à Montréal. Extrapolant sur la notion du discours colonial, il déclare, dans la publication accompagnant l'exposition :

> *Montréal est une ville à deux fondements culturels extrémistes. D'un côté, le génocide originel de la population indigène par les colonisateurs français qui, utilisant le discours patriarcal chrétien, ont imposé la logique du Siècle des lumières au Québec; de l'autre, la tentative d'assimilation de la population locale française par les colonisateurs anglais.*[6]

Le point de vue de Houle sur la rhétorique coloniale et historique d'Hochelaga est réitéré sans compromis par l'œuvre vidéo *Lessons in Conquest* (2005) d'Ariel Lightningchild Smith, tournée à Montréal. Combinat l'esthétique d'un film d'horreur à une perspective naïve, voire enfantine, Lightningchild illustre les stratégies coloniales de l'oppression en exposant les funestes leçons d'histoire que l'on n'enseigne pas à la petite école. Avec pour fond musical les sinistres notes d'une comptine détournée, la trame se penche sur les résultats de la détermination de l'Occident à dominer l'Autre : la guerre, le génocide et la famine. Lightningchild fait également référence à la

5   Martin Loft, texte de démarche de l'artiste, 1986/1987 (non paru). Traduction libre.

6   Houle.

colonisation des Irlandais en juxtaposant le traumatisme, la subjugation et la déportation qu'ils ont subis à l'oppression systématique et génocidaire exercée sur les peuples indigènes sous l'égide du principe eurocentriste de la destinée manifeste[7], et de son incidence continue sur l'Amérique du Nord aborigène. *Lessons in Conquest* est un appel à l'éveil, une nuisance, une interruption de la mémoire (ou de l'absence de mémoire) du *statu quo* confrontant les extrêmes engendrés par le projet de colonisation d'Hochelaga et d'autres territoires.

L'œuvre *Flourish* (2009) de Jason Baerg est une toile de grand format à cinq panneaux, mélange esthétique de champ chromatique, d'illustration et de graffiti formant une représentation (post)moderniste des concepts de contact, de convergence et de conquête. Baerg s'attaque à la ville et y déroule le tapis rouge pour redonner le grand territoire de Montréal à ses premiers gardiens. Le tableau énonce l'indigénisme du paysage local, situant le village d'Hochelaga au cœur de Montréal : en son centre, Hochelaga est assailli par de grandes traces blanches qui l'assaillent tels de furieux éclairs. La collision entre le rouge et le blanc évoque le précédent historique des contacts établis dans les Amériques, ici accentué par le récit dominant récurrent qui s'intéresse plus au conflit et aux assauts qu'à la paix et à la cohabitation.

*Flourish* est par ailleurs un prolongement de la série *RYBW* de Baerg[8], dans laquelle il explore les expériences autochtones urbaines et contemporaines. Appliquant une philosophie commune à toutes les Premières nations nord-américaines, la palette de Baerg fait référence aux quatre couleurs sacrées (rouge, noir, blanc, jaune) et aux quatre points cardinaux (est, ouest, nord, sud) de l'humanité afin de « démontrer les incidences passées, présentes et futures de notre positionnement dans les espaces physique, physiologique et virtuel »[9]. Baerg joue sur les dichotomies entre la tradition et la modernité afin de trouver un terrain d'entente pour sa cartographie d'Hochelaga. Il honore la résilience des peuples autochtones dans leur terre natale et affirme que « *Flourish* est une œuvre d'action qui invite les autochtones à revenir habiter leurs territoires ancestraux »[10].

Dans la vidéo *Rethinking Anthem* (2008), Nadia Myre attire notre attention sur l'expression « home and native land » (« terre de nos aïeux » dans la version française), tirée de l'hymne national du Canada, afin d'analyser la notion de lieu d'origine en tant qu'espace construit qui, tout y en étant lié, existe indépendamment d'un territoire donné. Les paroles symboliques de l'hymne canadien n'accordent aucune attention aux droits des occupants originels du territoire, mais ils soutiennent et justifient l'occupation eurocentriste qui cherchait concrètement à éliminer l'esprit et l'histoire autochtones de cette terre. À l'aide d'un pochoir, Nadia Myre trace les mots « native land » en noir sur fond blanc en effaçant simultanément le mot « home », établissant ainsi par procédé d'insertion une présence autochtone dans le chant nationaliste. Comme si elle creusait la terre, elle défigure le texte

7    La destinée manifeste est une référence à la conquête, la colonisation et l'expansion dans la partie occidentale des Amériques, « d'une mer à l'autre », ce qui impliquait que les peuples autochtones n'avaient aucun droit sur les terres qu'ils habitaient.

8    http://www.paulpetro.com/projects/2008/ truth_2008.shtml .

9    *Ibid*.

10   Jason Baerg, texte de démarche de l'artiste, mars 2009 (non paru). Traduction libre.

7

à mains nues et invite le spectateur à confronter la réalité physique du rôle de l'État-nation dans le pillage de la « terre de nos aïeux ». *Rethinking Anthem* dévoile des histoires oubliées et repense les espaces que nous occupons dans les villes et dans les campagnes, au nord comme au sud. De façon métaphorique, l'œuvre donne la place qui leur revient aux territoires traditionnels, aux réclamations et aux diverses formes de déportation dans une mémoire collective vivante qui se doit d'exister dans la conscience nationale.

La commissaire Cathy Mattes a habité Montréal à plusieurs reprises au cours de sa vie. Née sur l'île, elle y est revenue préadolescente, puis pour faire des études supérieures à l'Université Concordia. Avec la liberté d'une flâneuse, Mattes a traversé la ville pour assembler les morceaux d'un casse-tête de souvenirs liés à son expérience d'isolement et à ce sentiment de démembrement entre Montréal et ses racines métisses manitobaines. *Le Twist* (2009) réunit une compilation de ses expériences au jeu de la vie. Les règlements interactifs imitent ceux du populaire jeu de société Twister, où les participants se contorsionnent au-dessus d'un tapis afin de poser un membre sur un rond coloré. Mattes reprend les principes du jeu pour partager divers segments de son expérience montréalaise en anglais, en français et en métchif. D'un cercle à l'autre, les participants tentent de garder l'équilibre et font l'expérience métaphorique des souvenirs de Mattes en tant que femme métisse vivant à Montréal. Un cercle de couleur blanche présente sa vision du sentiment d'appartenance : « D'un point de vue très diasporique, je rêve d'un *chez moi* et d'une communauté imaginaires. Montréal est parfaite pour ce petit jeu : je ne suis pas plus d'ici que d'ailleurs. »[11] Pour diverses raisons, il est plus difficile de débusquer les membres isolés de la communauté autochtone à Montréal que dans la plupart des autres grandes villes canadiennes[12]. Dans les mots de Mattes,

> à Montréal, la présence autochtone semble plus difficile à détecter à première vue, mais une fois introduite aux autres autochtones, on réalise rapidement que la communauté est vaste et bien vivante. J'ai eu l'impression de trouver un trésor lorsque j'ai découvert tant de personnes autochtones profondément intéressantes à Montréal.[13]

En 1996, l'artiste de la performance Lori Blondeau avait introduit à Montréal le personnage de la Cosmosquaw, une jeune diva prometteuse à la peau « rouge ». L'*alter ego* urbain, flamboyant et audacieux de l'artiste s'amusait à décocher des flèches aux stéréotypes préfabriqués de la féminité blanche idéalisée et idolâtrée de façon à transcender la panoplie de préjugés historiques, sociaux, culturels et contemporains. Mi-top-modèle, mi-« princesse indienne », la Cosmosquaw affirmait les droits et l'indépendance de la femme autochtone dans les réseaux de la mode en revendiquant les concepts d'esthétique, de sexualité, de représentation et de langue. Au fil des années, l'infatigable Cosmosquaw prit ses aises et s'incarna à travers deux autres personnages – Betty Daybird et The

---

11  Texte tiré du jeu *Le Twist* (2009), par Cathy Mattes. Traduction libre.

12  Cette situation est partiellement le résultat du clivage linguistique français-anglais entre les autochtones du Québec. L'impossibilité de reconnaître l'inhérence des droits autochtones dans le cadre des mouvements nationaliste ou séparatiste québécois a également imposé des limites perceptibles sur la stabilité et le développement des communautés autochtones.

13  Cathy Mattes, correspondance par courriel avec l'auteur, janvier 2009.

Lonely Surfer Squaw – pour « bousiller le *statu quo* des structures hégémoniques du pouvoir. »[14] Après treize années d'absence, Lori Blondeau a ramené la Cosmosquaw à Montréal pour lui donner la fin respectueuse qu'elle méritait dans son lieu de naissance.

Lors du vernissage d'*Hochelaga revisité*, une foule amassée dans la galerie et dans le hall attendait impatiemment l'arrivée-performance de la Cosmosquaw, qui s'est présentée avec un retard à la mode dans son véhicule de prédilection : une limousine blanche. Accueillie par un *fan-club* dévoué et des sifflets bien sentis sous les flashes des caméras, la Cosmosquaw feint d'ignorer son public, escortée à travers la foule par l'artiste Jason Baerg. Élégamment vêtue de rouge des pieds à la tête – robe rouge, talons rouges à perles indiennes, boa rouge, veste à paillettes rouge et lèvres rouges –, la Cosmosquaw déambule suavement dans la galerie au rythme de la chanson hip-hop « Bossy », de Kelis. Après une brève visite de l'exposition, elle s'assoit sur un banc devant l'immense photo de Lori Blondeau ironiquement intitulée *I Fall to Pieces* (2009), représentant un tatouage temporaire à moitié effacé d'une princesse indienne. Baerg offre une flûte de champagne à la Cosmosquaw pour raviver son humeur. Une fois bien installée sous les feux de la rampe, elle souhaite la bienvenue aux visiteurs et, sirotant son verre, elle raconte avec humour des histoires de sa vie à Montréal : les visites de sa *kokum* (sa grand-mère) depuis la Saskatchewan, sa passion pour les baguettes chaudes et les chaussures, les pique-niques sur le mont Royal et ses amants qui se battaient pour son affection. Elle fait l'inventaire de ses souvenirs montréalais et évoque « Ojitsoh », un texte dramatique de la poète mohawk Emily Pauline Tekahionwake Johnson, qui raconte l'histoire d'une fidèle femme mohawk capturée par les ennemis Hurons. En arrière-scène, une voix récite :

> *Je suis Ojistoh, je suis la femme*
> *De celui dont le nom respire la bravoure et la vie*
> *Et le courage pour la tribu qui en a fait son chef.*
> *Je suis Ojistoh, son étoile blanche, et lui*
> *Est la terre, le lac, le ciel – et mon âme.*[15]

La Cosmosquaw invoque cette héroïne pour réfléchir à la fierté, à la passion et à la force qui habitent une femme dans l'amour et dans la vie, à sa propre image. « Ojitsoh » est l'hommage de Cosmosquaw à la localité et sa reconnaissance d'une âme iroquoienne au cœur d'Hochelaga. Elle est revenue dans ce lieu pour donner un nom à ses origines.

L'exposition *Hochelaga revisité* met de l'avant une nouvelle reconnaissance de la communauté autochtone urbaine, renversant les tactiques coloniales de l'effacement et du rejet mises en place depuis la « disparition » des Iroquois du Saint-Laurent du site de Tiohtiake, là où les nations et les rivières s'unissent et se séparent. Chacun des artistes de l'exposition explore respectueusement la pertinence des protocoles autochtones par le biais de pratiques artistiques contemporaines. Ainsi, ils

---

14  Jayne Wark, « Dressed to Thrill: Costume, Body, and Dress in Canadian Performative Art », *Canadian Cultural Poesis: Essays on Canadian Culture*, sous la direction de Garry Sherbert, Annie Gerin et Sheila Patty (Waterloo, Ontario : Wilfrid Laurier University Press, 2008), p. 187. Traduction libre.

15  Emily Pauline Johnson, « Ojistoh », *in The White Wampum* (Toronto : Copp Clark Co., 1895), p. 1. Traduction libre.

honorent, nourrissent, occupent et vivent l'expérience à la fois spirituelle et physique d'Hochelaga comme lieu d'histoire et de mémoire. Qu'ils montent une archive, corrigent les leçons d'histoire, déroulent le tapis rouge dans la ville, remanient l'hymne national, se contorsionnent ou sirotent un verre de champagne, Martin Loft, Ariel Lightningchild Smith, Jason Baerg, Nadia Myre, Cathy Mattes et Lori Blondeau contribuent chacun à leur façon à la pérennité de l'héritage enraciné dans le désir de refaire d'Hochelaga... le pays des Indiens! *Je me souviens.*

***Ce qui était ici est indissociable de ce qui est ici : il faut le penser comme un tout, sans se réfugier dans la nostalgie ou l'amnésie.*[16]**

16  Lucy Lippard, *The Lure of the Local* (New York : The New Press, 1997), p. 116. Traduction libre.

# Viva Tiohtiake or Hochelaga Revisited[1]

—

RYAN RICE
curator

### *Indeed, Montreal is a site of conquest, negotiation, manoeuvre, manipulation, and discourse.*[2]

Indigenous protocol[3] is a social, cultural, and political mechanism that can be used formally and informally to honour the space we stand on, live, and gather. It is a form of etiquette, a process of acknowledgement of Indigenous peoples' presence and legacy relevant to place, oral history, and traditional knowledge. With the aim of decolonizing Indigenous–settler relations, it provides a critical framework for acknowledging colonial injustices towards Indigenous peoples. Montreal is a city admired for its melding of old-world sophistication and charm, technological savvy, and multicultural and distinct societies. An important site of convergence, it is a bustling cultural, political, economic, and social landscape of global relevance. However, colonial strategies of erasure and dominant settler narratives have excluded, ignored, and removed its original occupants, and since disenfranchised the "native" from Montreal's past, present, and future. By recognizing the sovereignty and spirit of Montreal's original custodians, the exhibition *Hochelaga Revisited* reaffirms an enduring Indigenous presence, experience, and culture often absent from official histories about this gathering place.

Upon its initial colonization, the island of Montreal was originally named Hochelaga. It was mistakenly thought to mean "large rapids" due to a miscommunication during French explorer Jacques Cartier's 1535 first meeting with the inhabitants of the island.[4] Cartier named the territory *Hochelaga*, a misinterpretation of the Mohawk word *Osheaga*. *Osheaga*, which translates as "people of the shaking hand," was the term used by the original occupants to describe how Cartier and his crew greeted them. Cartier describes Hochelaga as an active and thriving centre built with longhouse villages surrounded by palisades and cornfields. However, the colonial narrative renders that the villages and its members had "vanished" by the time Samuel Champlain arrived 100 years after Jacques Cartier's earlier encounter.

*Hochelaga Revisited* presents works by six "ex-pat" artists – Jason Baerg, Lori Blondeau, Martin Loft, Cathy Mattes, Nadia Myre, and Ariel Lightningchild Smith – who explore the personal and collective impact of contact, colonization, and globalization within Hochelaga. Using various media – text, painting, video, photography, and performance – they take on Montreal as First Nations urban territory. Refuting Hochelaga's vanishing narrative, they depict personal experiences

---

1   *Tiohtiake* (joh-jah-guay) is the Mohawk word referring to the entire greater Montreal region, meaning "place where the nations and their rivers unite and divide."

2   Robert Houle, "Foreword," Curtis J. Collins, *Hochelaga* (Montreal: articule, 1992).

3   Indigenous protocol is a formal, yet still voluntary, form of acknowledgement of Indigenous traditional knowledge and original topographies. It is used as a gesture to welcome, honour, and respect the land and its Indigenous inhabitants. Australia has adapted Indigenous protocol within their public proceedings, employing it to establish policy in areas such as arts and culture. For an in-depth look at the basic principles, visit http://www.propelarts.org.au/resources/indigenous.php.

4   The original inhabitants have been hypothetically identified by anthropologists and archeologists as the Saint Lawrence Iroquois, distinct from the Iroquoian and Algonkian First Nations who reside in the immediate area. See Roland Tremblay et al, *The St. Lawrence Iroquoians: Corn People* (exhibition catalogue), (Montreal: Pointe-à-Callière, Montréal Museum of Archaeology & History: Éditions de l'Homme, 2006). However, it is a contentious debate, as diverse Indigenous oral histories make claim to these peoples as their own.

that cast a light on the still existent – yet often ignored and marginalized – Indigenous presence in the city.

Photographer Martin Loft asserts this Indigenous presence with his black-and-white photographic series *Montreal Urban Native Portrait Project* (1986). In Loft's makeshift studio at the Native Friendship Centre, the centre's "clients," who relied upon, developed, and expanded Montreal's native community, posed proudly for him. His project – part portraiture and part documentation – encapsulates the individuality and nationality of each subject through the lens of their urban migration experience. The portraits have been glanced at, contemplated, exhibited, held, flipped through, forgotten, and eventually squirreled away. Loft describes them as a testament of time, "a sort of road map of the human soul that speaks of our existence here on Turtle Island or North America."[5] Authentic and raw, they act as archive, acknowledging the spirit of the urban Aboriginal community, and reminding us of the struggles, desires, and journeys taken by many, including Loft and the artists in *Hochelaga Revisited*. For countless individuals, these journeys have been supported by a movement locally instituted by the Native Friendship Centre of Montreal. Established in 1974, it has provided hospitality and assistance to many First Nations, Métis, and Inuit during their transition from reserves or rural and Northern communities to the city.

In 1992, the Saulteaux artist Robert Houle opened his exhibition *Hochelaga* at articule gallery in Montreal. Expounding on the colonial narrative in the accompanying publication, he declares,

> *Montreal is a city of two founding cultural extremities: the original genocide of the indigenous population by French colonizers who, speaking the language of Christian patriarchy, imposed the spatial logic of the Enlightenment in Quebec; and the attempted assimilation of the local French population by English colonizers.*[6]

Houle's insight into Hochelaga's historical and colonial rhetoric is reiterated uncompromisingly in Ariel Lightningchild Smith's *Lessons In Conquest* (2005), a video shot in Montreal. Combining a horror-film-inspired aesthetic with a naïve, childlike perspective, Lightningchild depicts colonial strategies of oppression, exposing those horrific lessons little taught in school. The sing-song sounds of a nursery melody gone wrong set the eerie tone of the narrative, which examines forms of genocide, warfare, and starvation as the historic results of Western culture's determination to dominate the Other. Lightningchild also makes reference to the Irish encounter with colonization, by juxtaposing their experiences of displacement, subjugation, and trauma with the systematic oppression and genocide of Aboriginal peoples – under the guise of the Eurocentric principles of Manifest Destiny[7] – and its ongoing toll on Native North America. *Lessons In Conquest* is a wake-up call, an annoyance, an interruption to the status quo's memory, or rather lack thereof, vis-à-vis the extremities of the colonial project on Hochelaga and beyond.

5   Martin Loft, artist statement, 1986/1987 (unpublished).

6   Houle.

7   Manifest Destiny refers to the Western conquest, colonization, and expansion of America from "sea to shining sea," implying thus that Indigenous peoples did not own and have rights to the land.

13

Jason Baerg's *Flourish* (2009), a large-scale, five-panel painting, is a mash-up of aesthetics blending colour field, graphics, and graffiti for a (post)modernist representation of contact, convergence, and conquest. Baerg paints the town red – literally laying claim over the extended territory of Montreal for its original caretakers. Recognizing the local landscape as Indigenous, it represents the original village of Hochelaga as central to Montreal. Located in the painting's centre, Hochelaga is assailed by a bold rush of white that strikes its core like lightning. The collision of white and red evokes the historical precedent of contact in the Americas, in this case accentuated by the recurring dominant narrative that focuses upon conflict and aggression over peace and co-existence.

*Flourish* is also an extension of Baerg's *RYBW* series[8] in which he explores contemporary urban Aboriginal experiences. Utilizing a pan-Native North American philosophy, Baerg's palette references four sacred colours (red, black, white, and yellow) and the four cardinal directions (east, west, north, and south) of humanity to "reflect past, present and future iterations of our positioning in physical, physiological and virtual space."[9] Baerg plays with the dichotomies of tradition and modernity to find a middle ground for his mapping of Hochelaga. Honouring the resilience of Indigenous people in their home and native land, Baerg states, "'Flourish' is a work of action to welcome Aboriginals back to traditional territories."[10]

In the video *Rethinking Anthem* (2008), artist Nadia Myre extracts and calls attention to the key phrase "home and native land" from Canada's national anthem, while analyzing the notion of "home" as a constructed space that is reliant upon, yet separate from land. The iconic lyrics do not recognize Indigenous birthright to the land, but instead support and justify Eurocentric occupation, one that has endeavoured to remove Indigenous spirit from the land as well as history. Myre inserts and establishes a Native presence in the anthem by hand-stenciling the text "Native Land" in bold black letters onto white paper, while simultaneously erasing the word "Home" from public view. Defacing the text with her hands almost as a means of excavation, Myre compels the viewer to face the physical reality of the nation-state's role in pilfering Native land. *Rethinking Anthem* is a reflection of the spaces we occupy in the city and country, north and south. Myre's work aims to decolonize the rational behind the official national version of "home and native land" while exposing forgotten histories. At the same time, it metaphorically reveals traditional territories, land claims, and forms of displacement as part of a living collective memory that should exist in the national conscience.

Montreal has represented home to curator Cathy Mattes several times in her life. Mattes was born in Montreal, and returned as a pre-adolescent, and later on as a graduate student at Concordia University. With the freedom of a *flâneur*, Mattes wandered the city to piece together scattered memories relating to her experiences of isolation, and sense of divide between Montreal and her Métis roots in Manitoba. *Le Twist* (2009) compiles her experiences as a game of life, a twist on the popular Twister. The rules mimic the interactivity of the original game where players compete by

8    http://www.paulpetro.com/projects/2008/truth_2008.shtml .

9    *Ibid*.

10   Jason Baerg, artist statement, March 2009 (unpublished).

contorting their bodies across a colour-coded game mat. Mattes utilizes the game's surface to share fragmented narratives of her Montreal experience in each circle, presented in English, French, and Michif. As players manoeuvre their bodies across coloured circles and maintain their balance, they metaphorically experience Mattes' memories as a Métis woman living in Montreal. A white circle on the game mat questions her idea of belonging: "In true diasporic fashion, I fantasize about my imagined homeland and community. Montreal is the perfect place for these fantasy games. Really, I'm just as much an outsider there as I am here."[11] For various reasons, locating members of Montreal's isolated Native community is harder than in most Canadian cities.[12] As Mattes reflects,

> In Montreal, the presence at first seems a bit more inconspicuous, but once exposed to other Aboriginal people through the community, the realization that the community is large came. Learning just how many quality Aboriginal people there are in Montreal...was like finding gold. [13]

In 1996, performance artist Lori Blondeau introduced Cosmosquaw, a "red" diva-in-the-making, in metropolitan Montreal. Her sassy, flamboyant "urban-rez" counterpart poked fun at the idealized and idolized dominant construct of white femininity as a means to transcend historical, social, cultural, and contemporary prejudices. Part supermodel, part "Indian princess," Cosmosquaw challenged esthetics, sexuality, representation, and language as a form of reclamation, reaffirming Indigenous women's rights to fashion as much as sovereignty. Over the years, a restless Cosmosquaw extended her liberties and channeled two other personas – Betty Daybird and the Lonely Surfer Squaw – as "a way to 'make trouble' for the status quo of hegemonic power structures."[14] After 13 years, Blondeau returned to Montreal to respectfully retire Cosmosquaw to her place of origin.

At the opening reception of *Hochelaga Revisited*, a large crowd anticipated the arrival and performance of Cosmosquaw, who arrived fashionably late in her ride of choice – a long white stretch limousine. Escorted through the crowd by artist Jason Baerg, and greeted with a frenzy of catcalls, cameras, and applause, Cosmosquaw appears oblivious to her public. She is dressed to the nines and all in red: red beaded high heels, a red feather boa, red sequined jacket over a red camisole dress, and red lipstick. Accompanied by the hip hop beats of Kelis' song "Bossy," Cosmosquaw sulkily swaggers through the gallery. After briefly touring the exhibition, she takes her place on a stool, under Blondeau's ironic banner-sized photograph titled *I Fall to Pieces* (2009) of a fading temporary Indian Princess tattoo. Baerg offers her a glass and fills it with champagne, perking up Cosmosquaw's mood. Once comfortably settled in the spotlight, she welcomes everyone to the exhibition as she sips from her glass intermittently, playfully reminiscing of days gone by in Montreal, stories of her *kokum* (grandmother) visiting Montreal from Saskatchewan, her love of warm baguettes and shoes,

15

11  Text from *Le Twist* (2009) by Cathy Mattes.

12  This is in part due to the result of the French-English linguistic divide between Aboriginals living in Quebec. The failure to recognize Indigenous inherent rights within the framework of Québécois nationalist and/or separatist movements has also placed limitations on Aboriginal community development and stability.

13  Cathy Mattes, artist correspondence by email, January 2009.

14  Jayne Wark, "Dressed to Thrill: Costume, Body, and Dress in Canadian Performative Art," in eds. Garry Sherbert, Annie Gerin and Sheila Patty, *Canadian Cultural Poesis: Essays on Canadian Culture* (Waterloo, Ont.: Wilfrid Laurier University Press, 2008), 187.

picnics on Mount Royal, and lovers wooing for her affection. Scanning her memories of Montreal, she summons up Mohawk poet Emily Pauline Tekahionwake Johnson's poem "Ojistoh." The dramatic poem is about a faithful Mohawk woman captured by the enemy Hurons, and recited by a voice conjured up in the background. It begins...

> *I am Ojistoh, I am she, the wife*
> *Of him whose name breathes bravery and life*
> *And courage to the tribe that calls him chief.*
> *I am Ojistoh, his white star, and he*
> *Is land, and lake, and sky – and soul to me.*[15]

Cosmosquaw invokes the power of the heroine Ojistoh to reflect upon a woman's sense of pride, passion, and power in love as well as in life, all of which she herself represents. "Ojistoh" is Cosmosquaw's tribute to the local, acknowledging an Iroquoian soul at the heart of Hochelaga. She has returned to this place as an acknowledgement of home.

*Hochelaga Revisited* advances a renewed sense of recognition for the urban Aboriginal community, thus reversing the colonial tactics of erasure and dismissal effected since the St. Lawrence Iroquois "vanished" from Tiohtiake, the place where nations and rivers unite and divide. Each artist in the exhibition respectfully emphasizes the relevance of Indigenous protocol through contemporary art forms. In this way, they honour, experience, nurture, and occupy spiritually and physically Hochelaga as an established site of history and memory. Whether the artists are painting the town red, amending history lessons, making marks, building an archive, bending over backwards, or sipping a glass of champagne, Jason Baerg, Lori Blondeau, Martin Loft, Nadia Myre, Cathy Mattes, and Ariel Lightningchild Smith contribute to an ongoing legacy rooted in the desire to reclaim Hochelaga as indeed...Indian Country! *Je me souviens*.

**What was here is inseparable from what is here: it must all be considered together without recourse to nostalgia or amnesia.**[16]

---

15  Emily Pauline Johnson, "Ojistoh," in *The White Wampum* (Toronto: Copp Clark Co., 1895), 1.

16  Lucy Lippard, *The Lure of the Local* (New York: The New Press, 1997), 116.

ŒUVRES D'ART / ART WORKS

**JASON BAERG** *Flourish* [Prospérer] 2009
Peinture acrylique sur 5 panneaux / Acrylic paintings on 5 panels
91.44 cm x 243.84 cm (chacun) / 3' x 8' (each)

**Documentation vidéographique de la performance de LORI BLONDEAU (avec Kim Bird & Jason Baerg)**
**Video documentation of performance by LORI BLONDEAU (with Kim Bird & Jason Baerg)**
Lors du vernissage de *Hochelaga revisité* / During the opening reception of *Revisited Hochelaga*
19 mars 2009 / March 19, 2009
Vidéaste & Monteur / Videographer & Editor : Alain Chevarier

**LORI BLONDEAU** *I Fall to Pieces* [Je tombe en morceaux] 2009
Image digitale / Digital image
121.92 cm x 182.88 cm / 4'x 6'

**MARTIN LOFT** *Urban Native Project Series*  [Projet de série sur les autochtones urbains]  1986
Épreuves argentiques / Silver gelatin prints
27.94 cm x 35.56 cm (chacune) / 11" x 14" (each)

**MARTIN LOFT** *Urban Native Project Series* **[Projet de série sur les autochtones urbains] 1986**
Épreuves argentiques / Silver gelatin prints
27.94 cm x 35.56 cm (chacune) / 11" x 14" (each)

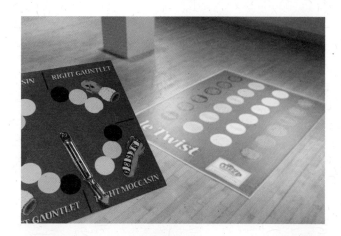

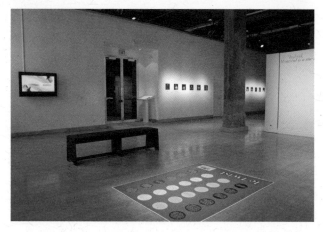

**CATHY MATTES** *Le Twist* **2009**
Tapis en vinyle (121.54 cm x 172.72 cm) avec girouette en métal
et planche en Styrofoam (25.4 cm x 25.4 cm)
Vinyl mat (51" x 68") with metal spinner on Styrofoam board (10" x 10")

La montagne m'a ramenée «chez-moi». Nous l'avons poursuivi tout au long de la route jusqu'à temps d'atteindre les visages et les coups de cœur de mon passé. Voilà ce qu'était la montagne de ma jeunesse.

The bush under the concrete seems to remember my former steps. Ces terres, incluant ma montagne, semble me reconnaître.

In true diasporic fashion, I fantasize about my imagined homeland and community. Montreal is the perfect place for these fantasy games. Really, I'm just as much an outsider there as I am here.

She tells me to document my thoughts and experiences in a journal about being Métis. So "I become a flâneur, and walk the streets of Montreal pondering my experiences. These thoughts take their hold. I try to walk some of them out of my system. They remain.

Elle cogne à la porte, vêtu d'une tunique et perruque de tresses artificielles. Elle demande si je veux jouer aux Indiens. Ma mère se sert d'un sac d'ordure pour faire ma tunique frangées et tressent mes cheveux.

Au moment où nous sommes sortie vêtu de nos costumes les enfants du voisinnage nous ont chassé en lancent des pierres tout en criant «maudit sauvages». Participer à ce jeu fût une mauvaise idée.

When I was 9, a cousin visited, and gave me a fringed beaded shirt and headband (it was the 80s). They made me feel proud and pretty, and I wore them to my friends' house. When I got there, her mother nervously told me I looked like a real Indian.

I corrected her, and told her I was a real "Indian Princess". She sent me home immediately. I walked home, confused. Who kicks princesses out of their homes anyways?

When I was 10 Mr. B introduced me as "The Shit Disturber". He said, (jokingly), "This is our Shit Disturber. Her mother is an Indian, and her Dad is in the army. "You'll never amount to much, hey Shit Disturber?"

Taanshi aen ishi itapmishooyaann pi ma plass daan li moond aen mayshkochipayik shaymak.

As I was handed my degree, thoughts of Mr. B entered my head. "&*%$#@ you Mr. B!" I said in my head. "I may be a Shit Disturber, but I amounted to something!"

Later, I regret those thoughts. Mr B. hasn't seen me since I was 13.

Everyday, when I got on # 165 she would stare at me, waiting for acknowledgment that told her I recognized our commonality... I always looked away in shyness.

One day, when we got off the bus, she yelled out angrily "Hey Indian! Yeah, that's right, I know what you are!" From that day on, whenever I saw her on the bus, I made sure I said hello.

Un employé est venue me voir et m'a dit : «J eux voir que tu est Autochtone. Sais-tu pourquoi? Parce que je le suis aussi. Tu peux le voir par la couleur de ma peau. Par contre si quelqu'un le demande je dit que je suis Québecois.» Why does she tell people that, when she recognizes she's Aboriginal, and has such good Aboriginal-radar?

T. became my protector in class. He sat beside me, whispering statements like "there they go marginalizing us again!" I didn't know what he meant, and had to look marginalization up in the dictionary. It became a staple of my vocabulary.

Une discussion concernant les droits d'Autochtone et le référendum commence dans la classe. Gii achimoon aen kishchiitaytamaan aen li michifwiyaan pi mii drway akithtaywa.

Quelqu'un me demande «pourquoi est-tu fier d'être Métis?» Je ne réponds pas...je le regrette plus tard.

Ooma Ka nootay kakwaytwayyaan ayka aen kii nipewoshiyaan.

The screening of the film Riel Country was invite only, but B and I heard about it and snuck in. My blood boiled as they spoke about Louis Riel being a great Canadian nationalist, and debated his importance to Quebecers. I announced they were wrong, that he was a Metis leader. I was met with silence. I had put a damper on their feel good, nationalistic moment.

Louis Riel pi niiya gii pimootanaan lii rue di Montreal aykooshpii ooshchi ni wiichipimootanaan

She tells me she's going to take me to Goose Break to work the city out of me. I'm not certain if she's serious, but I am certain that I like the city in me...I now regret not going with her.

S and I talk with excitement about contemporary Aboriginal art and our futures. She tells me that she and R. won't let me go, because we share the same cause... I'm so thankful, that they never did let me go.

He takes me to the top of the mountain. We run down it, pondering what other mountains we will climb, what mountains will mean "home".

# le Twist

A MOCCASIN GAME

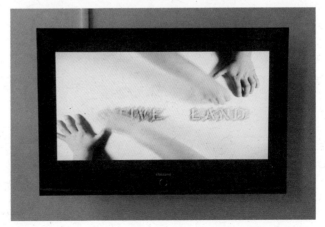

**NADIA MYRE**
*Rethinking Anthem*
[Repenser l'hymne national] 2008
Vidéo / Video
3 minutes

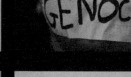

"I am Afraid that the
genocide as planned
will kill only
1000 000 Irish,
and that would
scarcely be enough"
– Nassau Senior
Queen Victoria's Chief Economist 1845

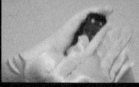

This Video is dedicated
to the building of
solidarity between
all colonized peoples

**ARIEL LIGHTNINGCHILD SMITH** *Lessons in Conquest* [Leçons de conquête] 2005
Vidéo / Video
9 minutes

# BIOGRAPHIES

**RYAN RICE** est Mohawk de Kahnawake. Il détient une maîtrise en arts du programme d'études commissariales du Collège Bard (New York), un baccalauréat en beaux-arts de l'Université Concordia (Montréal) et un diplôme en beaux-arts de l'Institute of American Indian Arts (Santa Fe). Il est le co-fondateur du collectif d'artistes autochtones Nation to Nation et du Collectif des conservateurs autochtone (CCA). En tant que commissaire, il a organisé les expositions *Flying Still: Carl Beam: 1943-2005* (en co-commissariat avec Diana Nemiroff, 2006); *Requicken: Glenna Matoush* (2006), *RED EYE: First Nations Short Film and Video* (2006), *ANTHEM: Perspectives on Home and Native Land* (2007), *Oh So Iroquois* (2007) et *Lore* (2009). Ses articles ont été publiés dans *Spirit Magazine*, *Canadian Art*, *CV Photo* et *MUSE*. Ryan Rice travaille comme commissaire des expositions et programmes au Museum of Contemporary Native Arts à Santa Fe.

**JASON BAERG** est artiste visuel et détient un baccalauréat en beaux-arts de l'Université Concordia en nouveaux médias numériques. Son travail a été exposé notamment à la Galerie Walter Philips au Centre des Arts de Banff, à la Foire internationale d'art de Toronto, à la Art Basel Miami, au Urban Shaman Artist Run Centre et au Musée virtuel du Canada. Baerg a remporté plusieurs prix et subventions du Conseil des arts du Canada et du Conseil des Arts de l'Ontario. Il a siégé sur de nombreux jurys pour des organismes de subvention fédéraux tels que le Conseil des arts du Canada et les Affaires indiennes et du Nord Canada. Il est co-fondateur du Collectif des artistes métis et membre actif du Collectif des conservateurs autochtone.

Artiste installée à Saskatoon, **LORI BLONDEAU** puise dans son histoire familiale pour l'écriture et la conception de ses performances artistiques humoristiques et satiriques. Dans sa pratique, elle aborde l'importance de maintenir son identité et ses valeurs en tant qu'autochtone vivant et travaillant dans la société « dominante ». Blondeau confronte et présente les stéréotypes conventionnels à travers une exploration humoristique et désarmante de la société et de l'art contemporains. En plus de son important parcours d'exposition, Lori Blondeau est directrice de Tribe, un organisme artistique des Premières Nations à Saskatoon. Via cet organisme et les activités qui y sont reliées, elle maintient des liens étroits avec les communautés artistiques autochtones au Canada et aux États-Unis.

**MARTIN LOFT** est photographe et orfèvre originaire de Kahnawake. Il est l'un des membres fondateurs de l'organisme NIIPA (National Indian and Inuit Photographers' Association) et travaille comme Coordonnateur du programme culturel au Centre culturel Kanien'kehaka Onkwawénna Raotitiohkwa à Kahnawake. Ses œuvres photographiques et d'orfèvrerie font partie de plusieurs collections au Canada et aux États-Unis. Loft participe également à des activités pour la réhabilitation de la langue Mohawk.

**NADIA MYRE** est une artiste multidisciplinaire dont les œuvres sont régulièrement exposées au Canada et à l'étranger. Parmi ses expositions récentes : *Landscape of Sorrow* (Art Mûr, 2009), *Au Fils de Mes Jours* (Musée National des beaux-arts du Québec, 2005), *Skin Deep, or Poetry for the Blind* (Art Mûr, 2004), *Fabrics of Change / Trading Identities* (University of Wollongong et Flinders University, Australie, 2004), *Beyond Words* (Galerie de l'Université Bishop, Lennoxville, 2004 et Mount Saint Vincent University, Halifax, 2003) et *Cont(r)act* (Galerie Oboro, 2002). Myre a reçu de nombreuses distinctions de la part du Conseil des arts du Canada, du Conseil des arts et des lettres du Québec et de la Fondation nationale des réalisations autochtones. Ses œuvres font partie de collections privées et publiques à travers le Canada.

**CATHY MATTES** est commissaire et écrivaine indépendante. Elle détient une maîtrise en histoire de l'art de l'Université Concordia (1998). Ses projets de commissaire les plus récents comprennent *Rockstars and Wannabes* (Urban Shaman Gallery, 2007), *Transcen-dence - cyborg hibrida genitalis humanitas* (Art Gallery of Southwestern Manitoba, 2006), *Rielisms*, (Winnipeg Art Gallery, 2001), *Blanket(ed)* (Urban Shaman Gallery et la Coopérative Boomalli Aboriginal Artists de Sydney 2001) et *The Best Man – Riel Benn* (Art Gallery of Southwestern Manitoba, 2001). Elle a écrit pour MAWA (Mentoring Artists for Women's Art), l'Indian Art Centre, la Winnipeg Art Gallery, le Musée national d'art amérindien, *Conundrums Online* et *Border Crossings*. Elle vit et travaille à Sprucewoods, Manitoba.

**ARIEL LIGHTNINGCHILD SMITH** est une cinéaste et artiste vidéo ayant récolté de nombreux prix. Depuis 2001, ses films et ses vidéos ont été présentés dans plusieurs festivals internationaux en Europe et en Amérique du Nord, dont le Media City Festival of Experimental Film and Video (Windsor, Ontario), Inside Out Film Festival (Toronto), Herland Film Festival (Calgary), Mix NYC Experimental Film Festival (NYC) et Antimatter Film Festival (Victoria, B.C.). Parmi ses œuvres récentes : *1, 2, 3 KnockUP* (2006) et *Saviour Complex* (2007). Elle vit et travaille à Ottawa, entre des séjours à Vancouver et à Montréal.

**CLAUDINE HUBERT** a suivi des études de premier cycle en histoire de l'art et en traduction et elle a obtenu une maîtrise en traductologie de l'Université Concordia en se penchant sur le postcolonialisme et le transfert des langues. Elle occupe depuis septembre 2007 le poste de coordonnatrice à la programmation du centre d'artistes en nouveaux médias OBORO, à Montréal, tout en continuant de traduire des textes sur l'art. Depuis quelques temps, elle explore des pratiques en écritures textuelle et sonore. Elle passe les saisons estivales à Saint Jean, au Nouveau-Brunswick, où elle a cofondé le centre d'artistes Tiers-espace avec l'artiste Chris Lloyd.

Brésilienne d'origine, **PATA MACEDO** est graphiste et enseignante. Elle habite présentement à Montréal où elle a son propre atelier de design graphique depuis 2001. Ses projets se concentrent principalement dans les secteurs culturels et pédagogiques, et ses clients incluent des musées, des organismes artistiques à but non lucratif, des instituts académiques de recherche ainsi que des artistes indépendants. Depuis 2003, elle est chargée de cours au département de *Design and Computation Arts* de l'Université Concordia où elle enseigne les concepts de base des arts graphiques, le design des livres et la typographie.

# BIOGRAPHIES

**RYAN RICE** is Mohawk from Kahnawake, Quebec. He received a Master of Arts degree in Curatorial Studies from the Center for Curatorial Studies, Bard College, New York. He has a Bachelor of Fine Arts from Concordia University in Montreal, Quebec and an Associate of Fine Arts from the Institute of American Indian Arts, Santa Fe, New Mexico. Rice is co-founder of the First Nations artist collective Nation To Nation and the Aboriginal Curatorial Collective. He has curated *Flying Still: Carl Beam: 1943-2005* (with Diana Nemiroff, 2006), *Requicken: Glenna Matoush* (2006), *RED EYE: First Nations Short Film and Video* (2006), *ANTHEM: Perspectives on Home and Native Land* (2007), *Oh So Iroquois* (2007), and *Lore* (2009). His articles have been published in *Spirit Magazine, Canadian Art, CV Photo*, and *MUSE*. Ryan Rice is Curator of Exhibitions and Programs at the Museum of Contemporary Native Arts, Santa Fe.

**JASON BAERG** graduated from Concordia University (BFA) in new digital media and has exhibited at Walter Philips Gallery at the Banff Centre of the Arts, Toronto International Art Fair, and Art Basel Miami, and Urban Shaman Artist Run Centre and the Virtual Museum of Canada. Baerg has won several awards through granting agencies such as the Canada Council for the Arts and Ontario Arts Council. He has sat on numerous juries for national funding bodies such as Canada Council for the Arts and Indian and Northern Affairs Canada. He is co-founder of the Métis Artists Collective (MAC) and is active member of the Aboriginal Curatorial Collective.

Saskatoon-based artist **LORI BLONDEAU** draws from her family history in the scripting and design of her campy, satirical, performance art productions. In her work, she addresses the importance of maintaining one's identity and beliefs as a First Nations person, and living and working in mainstream society. Blondeau confronts and co-opts conventional stereotypes in her pointed and disarmingly humorous take on contemporary art and society. In addition to her active exhibition career, Lori Blondeau is the director of Tribe, a First Nations arts organization in Saskatoon. Through this organization and related activities she is in close contact with the Indigenous art communities in Canada and the US.

**NADIA MYRE** is a multi-disciplinary artist whose work is exhibited locally and internationally. Recent exhibitions include *Landscape of Sorrow* (Art Mûr, 2009); *Au Fils de Mes Jours* (Musée National des beaux-arts du Quebec, 2005); *Skin Deep, or Poetry for the Blind* (Art Mûr, 2004); *Fabrics of Change / Trading Identities* (University of Wollongong and Flinders University, Australia, 2004); *Beyond Words* (Art Gallery of Bishop's University, 2004 and Mount Saint Vincent University, 2003); *Cont(r)act* (Oboro, 2002). She is the recipient of numerous awards from the Canada Council, the Conseil des arts et des lettres du Quebec, and the National Aboriginal Achievement Foundation. Her work can be found in private and public collections across the country.

**MARTIN LOFT** is a photographer and silversmith from Kahnawake. Loft was a founding member of the national arts service organization NIIPA (National Indian and Inuit Photographers' Association) and works as the Cultural Programs Coordinator at the Kanien'kehaka Onkwawénna Raotitiohkwa Cultural Centre, Kahnawake. His photography and silverwork have been collected by several museums in Canada and the United States. Loft has been active in the Mohawk language revival.

**CATHY MATTES** is a freelance curator and writer with a M.A. in Art History from Concordia University (1998). Her most recent curatorial projects include *Rockstars and Wannabes* (Urban Shaman Gallery, 2007); *Transcen-dence – cyborg hibrida genitalis humanitas* (Art Gallery of Southwestern Manitoba, 2006); *Rielisms* (Winnipeg Art Gallery, 2001); *Blanket(ed)* (Urban Shaman Gallery and Boomalli Aboriginal Artists' Cooperative, Sydney, Australia 2001); *The Best Man – Riel Benn* (Art Gallery of Southwestern Manitoba, 2001). Mattes has contributed writings to MAWA (Mentoring Artists For Women's Art), the Indian Art Centre, Winnipeg Art Gallery, National Museum of the American Indian, Conundrums Online, and *Border Crossings*. She lives and works in Sprucewoods, Manitoba.

**ARIEL LIGHTNINGCHILD SMITH** is an award-winning filmmaker and video artist who has been creating her own independent works. Since 2001, her films and videos have screened at various festivals internationally in North America and Europe including Media City Festival of Experimental Film and Video (Windsor), Inside Out Film Festival (Toronto), Herland Film Festival (Calgary), Mix NYC Experimental Film Festival (NYC), Antimatter Film Festival (Victoria). Her most recent works include *1, 2, 3 KnockUP* (2006) and *Saviour Complex* (2007). She currently resides in Ottawa, by way of Vancouver and Montreal.

**CLAUDINE HUBERT** completed her undergraduate studies in Art History and Translation, and holds a M.A. in Translation Studies from Concordia University, where she focused on issues of language transfer and postcolonialism. Since September 2007, she is Program Coordinator at OBORO, a new-media artist-run center in Montreal, while freelancing as an arts translator. Lately she has been exploring writing practices that use sound and text. She spends her summers in Saint John, New Brunswick, where she cofounded Third Space artist-run center with artist Chris Lloyd.

Currently based in Montreal, **PATA MACEDO** is a graphic designer and educator originally from Brazil. Since 2001, she has been running her own design studio where her practice has focused on developing a variety of graphic design projects in the cultural and educational sectors. Her clients include museums, not-for-profit arts organizations, academic research institutes, and independent artists. Since 2003, she has been teaching design fundamentals, book design and typography in the Design and Computation Arts Department as a member of Concordia University's part-time faculty.

**ÉDITEUR / PUBLISHER**

MAI (Montréal, arts interculturels)
3680, rue Jeanne-Mance, #103
Montréal, QC  H2X 2J5  Canada
Téléphone / Telephone : 514-982-1812
Télécopieur / Facsimile : 514-982-9091
Courriel / E-mail : info@m-a-i.qc.ca
Site web / Website : www.m-a-i.qc.ca

**DESCRIPTION DE LA PUBLICATION / PUBLICATION DESCRIPTION**

Publication pour l'exposition *Hochelaga revisité* présentée au MAI (Montréal, arts interculturels) du 19 mars au 25 avril 2009
Commissaire : Ryan Rice
Artistes : Jason Baerg, Lori Blondeau, Martin Loft, Cathy Mattes, Nadia Myre, Ariel Lightningchild Smith

Publication for the exhibition *Hochelaga Revisited* presented at the MAI (Montréal, arts interculturels) from March 19
to April 25, 2009
Curator: Ryan Rice
Artists: Jason Baerg, Lori Blondeau, Martin Loft, Cathy Mattes, Nadia Myre, Ariel Lightningchild Smith

**COLLABORATEURS DE LA PUBLICATION / PUBLICATION COLLABORATORS**

Coordination de la publication / Publication Coordination : **Zoë Chan**
Texte du commissaire / Curatorial Essay : **Ryan Rice**
Traduction vers le français / French Translation : **Claudine Hubert**
Révisions en anglais / Revisions in English : **Zoë Chan, Jane Jackel, Michael Toppings**
Révisions en français / Revisions in French : **Miruna Oana, Mira Rivest-Trudel**
Conception graphique / Graphic Design : **Pata Macedo** *www.patamacedo.com*
Impression / Printing : **Imprimerie L'Empreinte**
Photographies de l'exposition / Photographs of the Exhibition : **Paul Litherland**

Dépôt légal / Legal Deposit : 2009
Bibliothèque nationale du Québec
Bibliothèque nationale du Canada / National Library of Canada
ISBN : 978-2-9809292-3-6

## À PROPOS DU MAI / ABOUT THE MAI

Diffuseur, animateur, accompagnateur et lieu de rencontre, le MAI (Montréal, arts interculturels) est le seul lieu du milieu artistique contemporain montréalais et canadien investi d'un mandat explicitement axé sur la promotion des pratiques artistiques interculturelles. Doté d'un théâtre et d'une galerie, le MAI a ouvert ses portes en 1999 en tant que diffuseur pluridisciplinaire. Véritable incubateur permettant la recherche et la réflexion, de même que les échanges et le dialogue entre les communautés, il a pour mission d'appuyer la création, la diffusion et le rayonnement des arts interculturels auprès d'un public diversifié.

Presenter, facilitator, mentor, and meeting place, the MAI is the only organization in the Montreal and Canadian contemporary art milieu specifically mandated to promote intercultural artistic practices. Possessing a theatre and gallery, the MAI first opened its doors in 1999 as a pluridisciplinary presenter. As an arts institution that encourages research, reflection, exchange, and dialogue between various communities, its mission is to support the creation, presentation, and promotion of intercultural arts for diverse publics.

## PERSONNEL DU MAI / MAI STAFF

Directeur général par intérim / Interim Executive Director : **Michael Toppings**
Directeur technique / Technical Director : **Philip Richard-Authier**
Responsable des arts de la scène / Performing Arts Programming : **Guilaine Royer**
Responsable des arts visuels / Visual Arts Programming : **Zoë Chan**
Responsable des relations publiques / Public Relations : **Véronique Mompelat**
Coordonnatrice des activités / Activities Coordinator : **Mariya Moneva**
Assistante à l'accompagnement et à la programmation / Programming and Mentorship Assistant : **Miruna Oana**
Comptable / Accountant : **Ibou Sow**
Rédactrice / Copywriter : **Mira Rivest-Trudel**
Assistante à la direction technique / Assistant to the Technical Director : **Amélie Bourbonnais**

## CRÉDITS / CREDITS

**1<sup>ère</sup> de couverture / Front cover**
NADIA MYRE
*Rethinking Anthem*  [Repenser l'hymne national]  2008

**2<sup>e</sup> de couverture / Front flap**
LORI BLONDEAU
*I Fall to Pieces*  [Je tombe en morceaux]  2009

**Rabat à la 2<sup>e</sup> de couverture / Front flap - verso**
Vue de l'exposition / Installation view of the exhibition
Photo : Paul Litherland

**3<sup>e</sup> de couverture / Back flap**
MARTIN LOFT
*Evan*
*Urban Native Project Series*  [Projet de série sur les autochtones urbains]  1986

**Rabat à la 3<sup>e</sup> de couverture / Back flap - verso**
ARIEL LIGHTNINGCHILD SMITH
*Lessons in Conquest*  [Leçons de conquête]  2005

**4<sup>e</sup> de couverture / Back cover**
Performance de LORI BLONDEAU / Performance by LORI BLONDEAU  2009
Vidéo / Video : Alain Chevarier

Cette publication est composée en Oficina Sans. Imprimée sur : Domtar Couleurs text 140M, Rolland Enviro 100 text FSC 160M et couverture en soie Hannoart 0.14 points. Reliure : cousue et collée.

This publication was composed in Oficina Sans. Printed on Domtar Colors text 140M, Rolland Enviro 100 text FSC 160M, and Hannoart Silk cover 0.14 points. Sewn and pasted binding.